Sonnenschlange Susi Sonnenschein

Die Suche nach dem Mond

© 2020 Steffi Witter

Verlag und Druck: tredition GmbH, Halenreie 40-44, 22359 Hamburg

ISBN
Paperback: 978-3-7497-3844-1
Hardcover: 978-3-7497-3845-8
e-Book: 978-3-7497-3846-5

Dieses Büchlein widme ich meiner geliebten
Tochter Cecilia Felicitas Witter,
die mich zu dieser Geschichte inspiriert hat
und sie stets immer wieder hören möchte.

Inhaltsverzeichnis

SONNENSCHLANGE SUSI SONNENSCHEIN

DIE SUCHE NACH DEM MOND

KAPITEL 1 – DIE ANKUNFT IM WALD

Mitten im Wald taucht eines Morgens, in einem tiefen und sehr blauen See, eine kleine gelbe Schlange auf. Ihre Augen leuchten smaragdgrün und wenn die Sonne sie anstrahlt, glänzen ihre Schuppen wie Gold. Sonnenschlange Susi Sonnenschein heißt sie und sie schlängelt sich langsam, vorsichtig und gemütlich von Seerosenblatt zu Seerosenblatt zum Seeufer. Dabei bestaunen sie die Fische unter den großen, dunkelgrünen Seerosenblättern. Sie schauen neugierig dieser merkwürdigen Schlange hinter her. Selbst auf Wasserstellen ohne Blättern schien sie einfach zu

kriechen, ohne in das Wasser einzusinken. Sie hinterließ dabei nur eine kleine sich kräuselnde Welle an den Stellen wo sie das Wasser berührt. Am Ufer angelangt schaut sie noch einmal zurück und dann zur Sonne, so als suche sie etwas. Schließlich schlängelt sie sich weiter am Ufer des Sees entlang und atmet über ihre Zunge die verschiedenen Gerüche ein. Es riecht herrlich nach bunten Blumen und Gräsern. Sie folgt diesen Düften über eine wunderschöne Blumenwiese, doch auch hier sieht sie sich riechend immer wieder zu allen Seiten um.

Doch was ist das? Was steht da auf der Wiese herum und versperrt ihr den Weg? Das, was sie sucht ist es nicht. Da ist sie sich ganz sicher, denn es ist kleiner als sie selbst und was sie ja sucht ist um ein vielfaches größer als sie selbst. Also was ist es dann? Es sieht aus wie ein Pilz, aber bewegen sich Pilze?

11

W er bist du?" fragt das kleine Wesen, das wie ein Pilz aussieht, die verdutzte Susi.

„Ich bin ein Kind der Sonne und man nennt mich Sonnenschlange Susi Sonnenschein. Wer und was bist du denn?" „Ich bin Kleeblatt. Man nennt mich auch einen Wald- oder Wiesenkobold, aber wir nennen uns nie selbst so. Wir nennen uns einfach Pilzies, wegen unserer Hüte."

„Von Kobolden habe ich noch nie gehört. Dabei kennt die Sonne so viele Geschichten von dieser Welt. Aber ich habe keine Zeit, jetzt etwas Neues zu lernen. Ich muss den Mond finden."

„Der Mond ist doch hoch oben am Himmel. Hier auf der Erde wirst du ihn nicht finden können."

„Doch Kleeblatt, so unglaublich es auch klingen mag. Der Mond war so traurig und wütend auf die Sonne, dass er zur Erde herabgesunken ist und sich versteckt hat. Die Sonne kann ihn leider nicht finden, da Schnee auch Weiß ist und er auf der Welt überall vorkommt. Sie hat mich gebeten, ihn zu suchen und mit ihm zu reden. Deswegen bin ich hier. Kannst du mir dabei helfen?"

„Ich weiß nicht, wie ich dir dabei helfen kann Susi, aber ich weiß, wer es kann. Komm mit, lass uns ihn fragen", sagt Kleeblatt und läuft auch schon los, ohne nach Susi zu schauen. Sie hat Schwierigkeiten, ihm zu folgen, da Kleeblatt unglaublich schnell laufen kann. Doch sie folgt seinem Geruch wie Schlangen eine Beute verfolgen. Nur das Susi ihn nicht fressen will, da ihr Hunger nicht bekannt ist. Susi gelangt zu Kleeblatt, als er gerade an eine wunderschöne rote Tür anklopft.

15

„Hallo Mohnblume, ist Gänseblümchen bei dir?" fragt Kleeblatt seinen ältesten Freund. „Ja er ist bei mir. Komm rein, wir trinken gerade einen Tee und ...", Mohnblume stockt als er die riesige Schlange sieht, die hinter seinem Freund Kleeblatt steht. „Wer bist du?" fragt er sie. „Ich bin Susi und brauche eure Hilfe, wenn ihr mir helfen könnt. Ich suche den Mond."

„Kommt erst mal rein und erzähl es uns in aller Ruhe, dann werden wir sehen, wie wir dir helfen können. Kannst du dich etwas kleiner machen? Du wirst sonst nicht reinpassen." „Nichts leichter als das", sagt sie und schrumpft vor allen Augen auf die Größe der Kobolde zusammen.

„Wow, ich wünschte ich könnte das auch, nur in die andere Richtung, dann würde mir so manches leichter fallen." Stellt Kleeblatt fest und führt Susi in das Innere des Hauses von Mohnblume.

Gänseblümchen sitzt im Sessel und schaut neugierig zum Eingang. Als die vier zum Tisch kommen steht er auf und stellt sich vor. Danach setzen sie sich an den Tisch, nur Mohnblume nicht, denn der geht noch kurz in die Küche.

Liebe Susi, selbstverständlich helfen wir dir", sagt Gänseblümchen. „Danke, dass ihr mir helfen wollt. Ich habe Kleeblatt schon alles erzählt, aber am besten fange ich mal von vorne an. ...Hm, was duftet hier denn so gut?" „Das, liebe Susi, ist unser Tee und Waldbeerenkekse. Möchtest du mal probieren?" fragt Mohnblume und stellt ihr schon eine dampfende Tasse Tee und einen Teller Kekse hin. Auch die anderen bekommen eine Tasse Tee und Kekse.

Nachdem sich alle gestärkt haben, fangen sie an sich zu beraten und kommen zu dem Schluss, sich im nächsten Morgengrauen auf die gemeinsame Suche zu machen. Die Kobolde treffen hierfür ihre Vorbereitungen. Nach einer sehr kurzen Nacht treffen sich alle am frühen Morgen

vor Mohnblumes Haus. Sie machen sich auf dem Weg durch den tiefen Wald und erreichen nach zwei Tagen die Ebene vor den großen Winterbergen. Susi wundert sich über all das Grün im Tal der Berge. Doch die Kobolde erklären ihr, dass es gerade Frühling ist und deswegen kein Schnee liegt. Sie gehen auf die Berge zu und freuen sich an all den Blumen, Insekten und Pilzen die ihnen unterwegs begegnen. Dabei erzählen die Kobolde Susi viele Geschichten und Legenden über die Gegenden, die sie passieren, so dass Susi vieles Neues nebenbei lernt, ohne es zu bemerken.

Am Fuß der Berge angekommen, suchen sie einen Weg hindurch, der nicht so sehr beschwerlich ist, aber es bleibt ihnen nichts anderes übrig, sie müssen klettern. Susi fällt es leicht, da sie sich überall langschlängeln kann, aber nicht den Kobolden. Doch sie haben an Seile und Kletterausrüstung gedacht und so sind sie schneller über den einen Berg hinüber als sie gedacht haben.

Auf der anderen Seite des Berges lässt Susi ihre Freunde ausruhen und bittet sie zu warten, bevor sie sich allein auf die Suche ins Tal macht. Sie spürt, dass dort der Mond sein muss und mit dem muss sie erst einmal alleine reden.

Susi kriecht und schlängelt sich erneut eine Anhöhe hinauf. Umwindet einen großen Felsbrocken und gelangt schließlich an die tiefste Stelle im Tal.

Nach einiger Zeit sieht sie etwas rundes, weiß-graues vor sich. Für den Mond ist das aber zu klein, denkt Susi. Doch was ist das? Eine Nasenspitze? Ein Kopf? Da weint doch jemand? Es klingt so traurig, dass Susi auch Tränen in den Augen hat. Sie kriecht näher heran und fragt schließlich: „Bist du der Mond?"

Die Erde wackelt und rüttelt sich ganz doll, so dass Susi sich flach hinlegen muss. Als es wieder ruhig ist, kommt der Mond hervor und sieht Susi direkt an.

„Wer bist du?" fragt der Mond die nun wieder große Sonnenschlange. „Susi Sonnenschein, ich bin die Sonnenschlange." „Warum bist du hier Susi?" „Die Sonne hat mich gebeten, dich zu suchen, da sie leider nicht selbst zur Erde kommen

kann, sonst würde hier alles verbrennen", antwortet Susi Sonnenschein. „Der Sonne tut der Streit zwischen euch sehr leid. Lass uns zusammen zu ihr gehen und uns beraten." „Nein, dass will ich nicht. Sie war so gemein zu mir. Sie behandelt mich wie ein kleines Kind", schluchzt der Mond. „Worum ging es denn in eurem Streit?" will Susi wissen, der nämlich gerade eine Idee gekommen ist. „Ich", sagt der Mond, „ich möchte einmal die Erde bei Tageslicht sehen. Ich sehe sie doch immer nur im Dunkeln und da kann man nicht alles so gut erkennen wie am Tag, auch wenn ich vieles nachts beleuchte. Vor allem nicht die schönen Farben der Blumen und die Tagestiere, die nachts in ihren Schlafhöhlen versteckt sind. Doch sie bleibt stur und sagt immer nur Nein." „Hm hm, ich denke das bekommen wir hin lieber Mond. Komm mit mir zu meinen Freunden am Fuße dieses Berges und ich erzähle dir, wie wir die Sonne überzeugen können dir einen Tag im Jahr zu erlauben."

Der Mond schaut Susi mit großen Kulleraugen an und fängt erneut an zu weinen, aber diesmal vor Freude. „Das willst du wirklich für mich tun? Wir kennen uns doch überhaupt nicht." „Ach Mond, muss man denn jemanden lange kennen, um ihn zu helfen? Ich weiß einfach, dass es richtig ist und deswegen möchte ich dir helfen. Komm lass uns losgehen. Je früher alles erledigt ist, desto besser."

Gesagt, getan. Der Mond und Susi besprechen vieles auf dem Weg zu den Pilzies am Fuß des Berges. Vor allem erzählt der Mond, warum er diesen Traum schon so lange hat und das er als Bruder der Erde auch gerne mehr sehen möchte, als Eulen, die Mäuse jagen oder Fledermäuse, die Insekten fangen. Zumal alles einfach nur grau und schwarz aussieht in der

Nacht und zumeist nur Schatten sind. Nie aber sieht er die bunten Farben der Blumen und auch nicht der Tiere. Zumal nachts auch alles ruhig ist. Kein Gesang der Vögel, kein Summen der Bienen. Selbst die Fische springen nachts fast nie aus dem Wasser, um ihn zu begrüßen. Nachts herrscht meditatives Schweigen, was nur durch den Ruf der Wölfe bei Vollmond ab und an unterbrochen wird. Doch der Mond sehnt sich nach dem Krabbeln der Käfer auf den Blüten und tanzenden Schmetterlingen im Sonnenschein.

Bei ihren Freunden angekommen, bedankt Susi sich für deren Hilfe und bringt sie mit dem Mond zusammen zurück nach Hause in den Wald. Die Kobolde sind richtig begeistert, einmal auf dem Mond zu sein und können ihr Glück gar nicht fassen. Bei der Waldlichtung angekommen, verabschieden sie sich schließlich mit einem lachenden und einem weinenden Auge voneinander.

Susi und der Mond machen sich dann auch gleich auf zur Sonne. Dabei ist der Mond schon sehr aufgeregt. Ob es auch so klappen wird wie Susi es ihm ausführlich erklärt hatte?

„Mach dir keine Sorgen Mond, die Sonne hat ein gutes Herz und wird mit diesem Kompromiss bestimmt einverstanden sein. Ich bin mir sicher." Tröstet Susi den

Mond und versucht seine Aufregung damit ein wenig zu dämpfen. Der Mond nimmt die auch dankend an und freut sich. Nach einiger Zeit erreichen sie die Sonne, die gerade ein wenig geschlafen hat.

„Guten Tag liebe Sonne", sagen Susi und der Mond zur gleichen Zeit wie aus einem Munde. „Guten Tag Mond und Susi. Ich freue mich, euch zu sehen. Ach lieber Mond, bitte sei mir nicht mehr böse", fleht die Sonne den Mond an und hat dabei ein Tränchen im Augenwinkel. Doch der Mond strahlt die Sonne nur an vor Glück und hat schon allen Ärger vergessen.

Susi beginnt daher mit ihrer Frage an die Sonne: „Liebe Sonne, bitte erlaube es dem Mond einmal im Jahr die Erde auch bei Tageslicht zu sehen. Er sehnt sich so sehr danach, auch mal die Tagestiere und Pflanzen zu sehen. Schließlich ist ein Tag im Jahr bestimmt kein Problem." „Also ich weiß nicht so recht Susi. Wer beleuchtet denn dann an diesen Tagen die Nacht?" „Die Sterne selbst liebe Sonne. Außerdem schlafen doch die meisten Tiere nachts, die das Mondlicht brauchen könnten. Einen Tag im Jahr werden die wenigen anderen schon mal verschmerzen können." „Hm, dass klingt logisch. Also gut lieber Mond. Lass es uns erst einmal versuchen, ob das wirklich so gehen kann, wenn es nur Chaos bringt, dann bist du aber damit einverstanden, es nicht wieder zu machen?" „Das verspreche ich dir liebe Sonne. Aus tiefstem Herzen. Oh Susi, ich bin so glücklich. Ich bin mir sicher, dass alles gut gehen wird." Susi strahlt ihren Freund ebenso glücklich an, denn auch sie ist sich sicher, dass dabei nichts schief gehen wird.

Und weil der Mond so aufgeregt war, wollte er gleich den Tag nutzen, an dem die Sonne ihm das Versprechen gegeben hatte. Er bringt Susi zur Erde zurück, wo sie sich auf dem Weg macht, um weitere neue Dinge zu lernen. Der Mond aber wollte nun nichts mehr versäumen und schaute sich alles bei Tageslicht an und strahlte vor Freude.

ENDE